アメリカの銃社会で生活？

デトロイト警官が安全なアメリカ生活の
過ごし方と護身用ピストルの使い方をお教えします

マイク前川

はじめに

アメリカの銃社会

日本では護身用の銃を持つことは法律で禁止されています。

アメリカも日本と同じように禁止すれば、もっと治安の良い住みやすい国になるのにと、多くの日本人が思っていますよね。

知りあったデトロイトの巡査部長、ヘイグさんにその話をすると、「良い国民は銃を放棄するが、悪人やクレイジーな人は銃を持ち続けるよ」と言われました。

銃社会だから、カウボーイのように多くのアメリカ人が銃を持って歩いていて、毎日銃の音、叫び声、殺された人が街角に転がっているのでは、とイメージしている日本人もいるのではないでしょうか。

アメリカはそんな国ではありませんよ。

英国の支配を退けアメリカと言う国を作れたのは、銃のおかげという歴史があります。そして、伝統的に自分の身は自分が守る、となったのです。憲法修正第2条（The second amendment）は、この目的のために作られたのです。

多くのガンコントロール、規制、許可規定などを作り、銃社会を管理しようとしていますが、実際には上手くいっていなく、数年前シカゴで、週末に50人が殺される事件がありました。また最近では、テキサス州とオハイオ州で、合わせて約30人が殺される事件が。

銃は自ら発砲しません。持っている人がするのです。

それをコントロールする関係部署の、上下左右のコミュニケーション効率の向上や現行法の規制、運用の強化・強要などを実施すべきであって、第2条を放棄したいアメリカ人は今のところ少数派です。

日本人は銃を買うことができるの？

日本国民でも、グリーンカード（永住ビザ）を持っていれば買うことができます。もちろん、住んでいる州、郡、市の規定、必要項目などをクリアしなければいけませんが。

観光ビザ、ワーキングビザ等で入国した日本人は買うことができません。

慣例的に行われるハンティングやスポーツ行事に出席する目的で入国が許可された時は購入できます。また、州が発行した有効なハンティングライセンス・許可書を持っていれば、購入が許されます。

感謝状

この場をかりて、ヘイグ元デトロイト巡査部長さんにお礼を申し上げます。地元デトロイトでの長年にわたる貴重な経験談、そしてデトロイトのような都市での護身のアドバイスを、親切に教えて頂きました。

ヘイグさん曰く、「デトロイト警察本部に入った時は自信があった。以前、世界で一番殺人の多い町と言われていたデトロイトのタフな環境下で育ったので、悪人との闘いを恐れない、現場での対応力・実践力が身についていたから」と。

長年の経験から、犯罪者の色々なやり方を理解し、それ以上の対応力を身に付けたとのこと。

犯罪者のやり方は酷く、日本人はとても太刀打ちできないのを忘れないでほしいとのことです。

ですから、被害者にならないためには、いつも注意を払い、用心深くしていることが大切で、ヘイグさんは、長年にわたる経験から得た彼の護身用アドバイスを、この本で皆さんと共有したいとのことです。

この本は、護身用の銃、ピストルを中心に書いています。ハンティング用、スポーツ用の銃も護身として使えますが、ここでは触れていません。

また、最後のセクションに、参考として、銃の紹介を載せました。

アメリカでの護身は入国から始まります。入国時点から順次、目次コンテンツに沿って、ヘイグさんの経験談、アドバイスを載せました。

これからアメリカに行かれる方、住まれる方、すでに住まれている方の参考になれば幸いです。

著者
マイク前川

前川（まえがわ）（マイク）公良（まさよし）

大阪出身

デトロイト郊外在住50年

大阪教育大学付属小学校、中学校、高校天王寺校舎卒業

同志社大学機械工学部卒業

米国自動車メーカーで管理者として勤務

米国自動車部品メーカーの日本法人を設立し、代表として新株式会社を確立させる

『米国生活（旅行）雑学・知恵袋』2012年　アマゾンから出版

『アメリカ生活？英語？なんでやねん』2017年　アマゾンから出版

子供2人、孫4人

コンサルタント
ロバート　ヘイグ

Robert Haig
元デトロイト巡査部長
以前、世界で一番殺人の多い町と言われていたデトロイトにて、パトロール警官として約30年の経験
"Ten little police chiefs - A Detroit police story"の著者

目　次

エアポートに着いた時

ドレスコード

＊一般的なアメリカ人が着ているような服装に近い？
＊着いた現地の気候に適した服装？
＊高価なブランド品、ハンドバッグ、宝石などを付けていない？

ヘイグさんからすれば、一目で誰がカモだとわかるそうです。

上の質問にイエス、イエス、イエスであれば、あなたがアジア人でも、現地に慣れた人、用心深い人とみなされて、彼らは別のカモを探します。

ヘイグさん曰く、「大自然の野獣と同じ、一番弱い物（者）を狙って餌にするのだ」

キャッシュ

デトロイトで銃を突き付けられ「ホールドアップ！」皆さん、盗まれるキャッシュは平均幾らだと思いますか？

100ドルほどかな？

ヘイグさん曰く、「平均20ドルだよ。別の州や町から来る人をねらっていてもキャッシュはこれくらい」

えっ、なんでやねん！

アメリカはクレジットカードの社会。チップを払ったりする程度のキャッシュしか持っていないのですね。

エアポートで何か飲み物やお菓子を買う時、100ドル札は出さないように。

何らかのサービスをお願いしたら、チップを払わなければなりません。

カモのターゲットにならないように、予め1

ドル、10ドル、20ドル札を用意しておきましょう。

出口にある両替所は使わないように。「大金を持っています」のサインになります。

ポーターが近寄って来た時

どこに行く時も同じですが、スーツケース、バッグは、自分がハンドリング出来るように個数を少なくしましょう。

もし個数が少し多く、ポーターが“ニードヘルプ？（Need help?）”など言いながら近寄って来た時は、はっきりとイエス、ノーと言います。

時には悪いポーターもいて、こいつはよいカモだと思えば、悪友に連絡。後でキックバック、紹介料を貰うケースもあるとのこと。

ですから、曖昧な、まごついた、不慣れな態度や言い方は止めて、英語が苦手でも、“Yes, to taxi.”“No, thank you.”など、はっきりと言いましょう。

Yesの時には、もちろんチップ用に細かい札を用意しておくこと。

Noの時には、外に出た時、気を付けましょう。もしかすると、親切そうな人（？）が近寄ってきて“ウーバー？（Uber？）”など話してきますよ。

銃を持った人を見たら

アメリカは銃社会、だからこれは普通の光景？

良いタイミング、記念に写真でも？

TSAセキュリティチェックでゲートには銃を持って入れませんが、エアポートの入口、出口は自由ですので、銃を持った人を見かけるかもしれません。しかし、普通ではありません。

ポリスや警備員がすぐ飛んでくるでしょう。あなたもすぐその場から離れてください。

ホテル・住まいの選び方

周りの環境

やはり一番大事なのは、ロケーションです。

高価だから“自動的に”治安が良いと思わないで、実際にチェックしましょう。

ヘイグさん曰く、「友達が知らない町のホテルを予約した時、部屋代が250ドルだったので安全だと思っていたら、確かに部屋は素晴らしかったが場所はあまり良くなく、散歩に行けなかった」とのこと。

もう一つの例：

デトロイトで30万ドルの家があったが、全米の平均的な家の値段が約30万ドルだから、普通で安全な場所だと思って買った人が、その住宅地に住み始めてわかったのは、週末には売春婦が住宅地のかどに立って商売していたとのこと。

計画時：

インターネットで、その場所の犯罪レポートなどチェック。

良さそうな場所でも、会議場・会社・訪問先・観光スポットへは、治安の悪い場所を通って行くのかチェック。

現地では：

皆さん、一番良い方法は何だと思いますか？

そうです。近くのスーパー、コンビニに行くこと。

＊どんなタイプの人達が買物をしているかチェック。
＊店は夜遅くまでオープンしているのか？
＊シャッターなどを使って閉めているのか？

近くに公園があれば見にいきましょう。

＊子供が親と楽しんでいるのか？
＊変な人がウロウロしているのか？

もう一つ、ヘイグさんのアドバイス。

もし出来ることなら、ラッシュアワー時に近所をドライブ。

＊どんな人が運転しているのか？
＊どんな車に乗っているのか？
＊ボディーが凹んだ車にそのまま乗っているのか？
＊もしタイヤがパンクした時、その場にいても安全と感じるのか？

そして、意外と忘れてしまうのがポリスとの距離。

＊緊急の時、あなたの場所にポリスが来てくれるまでの待ち時間は？　5分？　10分？　30分？　？？？

スクール

もし子供と一緒に現地で数年間住むのであれば、次に大事なのはスクールです。

アメリカのスクールシステムは、州、郡、市によって“全く”変わってきます。同じ郡でも市・町によって違うかもしれませんからびっくりしないように。

インターネットなどを使って計画時にチェックしましょう。

デトロイト郊外には、約700人の日本の子供が行く補習校があります。

このような所にコンタクトして、現地のスクールシステムや各町のランキング情報など聞くのも一方法です。

詐欺師

オーナーでない人が家をレンタルで貸し出すケースを何回も担当したとのこと。

詐欺師が、わりと良い空き家を探し、レンタルの案内、広告を載せます。別の州の興味がある人が返事をし、見に来てデポジットとしてキャッシュで払います（払わされます）。数週間後引っ越ししてきたら、その家のオーナーが来て訴えられます。

このような詐欺師は、別の州の人やあなたのような外国人を狙ってやります。なぜなら、もし捕まって裁判沙汰になっても、あなたや別の州の人が裁判日にデトロイトに来れるのは非常にまれで、ケース却下、フリーになるからです。

住まいとは関係ないですが、よく似たケースをヘイグさんは話してくれました。

アメリカには、大陸横断用の長距離トラックが沢山あります。犯罪者はその運転手を狙うのです。捕まっても、裁判日にその運転手はどこかの州で仕事中、来れないのが殆どですからフリー。何回もリピートする悪者がいるそうです。

住む所を探すのは、やはり名の通った業者を通してしましょう。

お金について

毎日持ち歩くキャッシュは

上のセクションでも紹介したように、デトロイトでのホールドアップで奪われるキャッシュは20ドル。

アメリカ人は、本当に大金をポケットに入れていません。

100ドル札は偽物が多く、嫌がって受け取らない店やレストランがありますよ。

1ドル札から20ドル札までが殆どで、50ドル札もあまり見かけないです。

トータルで20ドルから50ドルもあればもう十分です。

もちろん、チップ用などに1ドル札を多めに用意しましょう。

話が少し逸れますが、チップをコインで払

うのはやめましょう。日本人観光客の多くはキャッシュで買物したりしますから、コインが貯まってしまい、それをチップとして渡しますが、マナー違反です。1ドルを10セントや5セントなどで渡そうとすると、時には“貧乏人は無理しなくても良いよ”といわれます。

ATM

ATMは何時でも使えますし、非常に便利で皆よく使用します。ですから、事件もよく起こります。

ホテル内、ショッピングセンター内、娯楽施設内など至る所にありますが、やはり一番事件が起こりやすいのは、車で行くATMです。

「ゴッドファーザーの映画のような事件があったよ」とヘイグさん。

ある人が車でATMに近づきます。前の車がATMから離れていくのを見て、「アー、グッドタイミング」と、ATMで停まったら、急に後ろに車が。

何だか変な雰囲気だったのでATMから離れます。しかし、角を曲がったら前の車が停まっていて、サンドイッチの状態に。ATMで多くのキャッシュを取られる結果になりました。映画では、サンドイッチされ前後から撃たれて殺されていました。

身近な事件：

友人の警官が、仕事休みの朝イチに近くのATMに。一人の男が銀行の前の道路でぶらぶら。普通の光景ではないので、本能的にしまっていたピストルを一応シートの上に。ATMに近寄ると、ピストルを持った男が突如助手席の窓に。そしてぶらぶらしていた男が運転席の窓側に。友人の警官はとっさにピストルを取り、助手席の窓に向かって発砲。ピストルを持った男は即死。運転席側の男はすでに逃げていました。このヤロー達は、普通のカモと思っていたのでしょう。友人も注意を払っていなかったら殺されていたかも。

　このように、ATMのある場所では何が起こるかわかりません。すごく危ない場所にもなるのです。

　では、どのようにすればよいの？
＊あまり治安が良くない地域だと素通り。
＊深夜に行くのはやめる。
＊ATMの周りに壁や低木などがあり、隠れやすそうな所は素通り。
＊ATMの付近に人がいれば、見た目は普通の人でも素通り。
＊ATMでどのような車が前後にいるのかチェック。その地域にふさわしくない状態の車なら、並ぶのはやめる。

銀行の窓口からキャッシュ

　歳をとった人は、ATMよりも銀行の窓口でキャッシュを受け取るのが好きです。

銀行から出て来た時、その人のしぐさ、年齢、歩き方など見ていて、よいカモだと思えば、家まで車の後についていきます。ゲートが無い住宅地であれば、そして家に着いた時に周りに人がいなければ、ホールドアップです。

家に着けば、誰でもホッとして気がゆるみます。周りには注意を払わないものです。そこを狙っているのです。

また、多くのキャッシュを引き出すと、よくそのキャッシュを封筒に入れてくれます。

封筒を持って（見せながら）銀行から出ないこと。

キャッシュの持ち方

海外に行く時、あなたはどのようにしてキャッシュを持って歩きますか？

安全のためにと、2か所に分けていますか？

「はい」

ヘイグさん曰く、「それ、アメリカでは『殺してくれ！』のサインだよ」

ホールドアップさせられてポケットから50ドルほど出しても、彼らは自動的にあなたの体をチェックしますよ。そして、数百ドルほど隠しているのが見つかると、「このヤロー！」で殺されるかもしれません。

デトロイトのような都市では、麻薬、ドラッグなどを隠して持っている人が多いのです。女性だと、例の谷間に隠したり、股のあそこに隠したり、男性も股間に隠すのです。もしポリスがその部分を触ろうとすると、別の問題でヤバイですから、触らないのです。

彼らは隠し方のプロです。日本人が、ベルトの内側とか靴下の中とか、腹巻？　など色々凝ってみても、プロからすれば見抜くのは朝飯前なのです。

　このような事件に遭遇した時には、全てのキャッシュを渡します。

「ある男性が、頭を撃たれた事件もあったよ」とヘイグさん。

　ホールドアップさせられて、その男性が出したキャッシュは5ドル。強盗が体をチェックしましたが、他にキャッシュ無し。5ドルのみ。「コノヤロー！　安っぽい愚かなクズ！（Cheap A×× B×××××！）」で発砲。幸いにもキャリバー、口径の小さなピストルだったので、頭蓋骨には入らなかったとのこと。

　覚えていますか？　20ドルから50ドルの話。

　アメリカはクレジットカード社会。カードを数枚持っている人が多いです。

　カードとキャッシュを一緒に入れるタイプの財布は推薦しません。

キャッシュはクリップに挟んで、カードはカードホルダーに入れ、別々に持ちます。

殆どの買物、食事、ガソリン給油など、クレカで払います。食事のチップもクレカで払えます。お酒を買う時に見せるIDカードの定番、運転免許証もカードホルダーに。

ですから、いつも出すのは“カードホルダーのみ”

キャッシュは（少額でも）見せません。

少し話がそれますが、ソーシャルセキュリティカードはホルダーに入れない事。

これはIDカードではありません。

もしホルダーを落としたり盗まれた時、ソーシャルセキュリティナンバーが悪人の手に移れば大変なことになりますので、このカードは家に置いておきます。

私も最初の頃は、このカード、運転免許証、グリーンカード、保険カード、クレカ、キャッシュ、全て一緒に入れていました。

チェッキングアカウント

アメリカで数年間住む予定なら、チェッキングアカウント、個人の小切手口座をオープンしましょう。

修理工などが家に来た時、キャッシュは受け取りませんよ。修理工自身がカモにされますから。

クレカもサービス料を払わなければなりませんから、小さな業者や個人は嫌がるのです。小切手が一般的です。

他にも、友達の分を仮払いしたり、してもらったりした時など、キャッシュは郵送できませんし、クレカやデビットカードを受け取る装置もありませんので、小切手を送るのが一般的です。

「最近はインターネットで光熱費など払えて、小切手を送らなくなったけど、日常生活に便利で安全ですよ」とヘイグさん。

この口座をオープンすると、これに連結したATMカード、デビットカードも銀行から貰えますよ。

住まいが見つかった

車庫

ドライブウェイ（車庫への通路）や車庫のドアの周りには、塀、壁、低木、やぶなど、人が隠れやすいようになっていませんか？

出来ることなら、枝を切ったり、植え替えたり、地面から少し隙間がある塀にしたりとかして、周りが見えるようにしましょう。車庫のドアを開けて車を入れた途端に、急に襲われたりしますから。

また、車庫のドアを開けっ放しにはしないこと。

入居する時、どうしても大きな荷物などは車庫においておきがちです。ドアを開けっ放しだと、盗んでくれのジェスチャーになりますよ。

センサーが付いているドアが多くありますが、ゴミやセンサーの具合で、時々途中から上にオープンする場合もあります。

また、時には近所の人のリモートコントローラーで、あなたのドアがオープンする時も。

何時も正常に作動するかを、最初の数日間はチェックしましょう。

最初の頃は、どうしても車庫は倉庫代わりになり、かたづけるまで車をドライブウェイに駐車することに。

こういう時、車のドアはロックしておかないと、泥棒が車内にある車庫ドアオープナーのボタンを押し、家に入ってくるリスクがありますよ。

ライト

玄関、車庫、サイドドア、裏庭へのドアなどにライトがあるかチェックしましょう。

モーションセンサーでのオン・オフも良いですが、ヘイグさんの推薦は、日没でオンし日の出でオフ、のセンサーです。

家の外はライトオンにして、家の中はプライバシー保護でライトオフ、と思っている人もいるでしょうが、間違いです。

家の中でも、二階で寝る時、一階の二部屋には、ライトをオンしておきましよう。

ホームアラームシステム

なければ、設置しましょう。

家の保険料にとっても良いですよ。

最近のシステムはワイヤレスで設置が簡単です。

センターへの通信もワイヤレスです。以前は電話回線を使っていましたが、泥棒がラインを切る問題がありました。

ヘイグさんのアドバイス。

「窓はオープンセンサーよりも、ガラスの割れる音に対するセンサーのほうがよい。

アメリカの窓は比較的大きいので、割って開けずに入ってくるし、泥棒も窓はオープンセンサーだけと思っているのが多いから」

パニックボタンを何処に置いてあるのかも忘れずに。

スライディングドア

泥棒が最初にトライするのは？　ドア？　窓？
「スライディングドア」とヘイグさん。

開けられない簡単な方法は、パイプや棒をドアの後ろに寝かせておくこと。

スライディングドアの外側には、虫除け網のスクリーン付きスライディングドアが設置されていますが、このロックはプラスチック製で信頼できませんよ。

窓

窓の外には何がありますか？

低木ややぶ、または木箱など？

簡単に隠れたり、足場を作ったり出来ないようにしましょう。

もし、窓ガラスが割れる音がしたら、その場所を見に行かないこと。別の場所から911に連絡。

玄関

窓や車庫と同じですね。植え替えたり、枝を刈り取ったりして、見えやすくしましょう。

デッドボルトがドアに付いていなければ、直ちに付けましょう。

チェーンロックも付いてあればプラス。

車をドライブウェイ（車庫への通路）に駐車

「よく、こういう事件を聞くよ」とヘイグさん。特に、中流上階級に多いようです。

安全と思って、車をドライブウェイに駐車。

朝起きてびっくり。

車はブロックの上に、そしてタイヤは無し。

高級車になれば、タイヤ・ホイールは良い値段で売れるのです。

“車庫”のところで書きましたように、駐車するときにはロックしておきますが、出来るだけ早く車庫に入れられるようにしましょう。

また、駐車する時には、車内には何も置かない事。

コップホルダーに小銭を入れていませんか？

「麻薬などの中毒者にとっては、小銭も大歓迎」とヘイグさん。

ピストルの所持者に

保管方法

実はこれ、非常に難しいことなんです。

ピストルも弾丸も安全な形で保管しなければなりませんし、いざという時にはすぐ使えるようにしておかなければなりませんので、難しいのです。

一般的な、スタンダードなやり方は、ピストルと弾丸を別々の場所に保管して、子供がもし探し当てても使えないようにしておく方法ですね。

しかし、もし誰かが家に侵入して来た時、ピストルの所に行ってピストルを出し、弾丸の所に行って弾丸をピストルに入れ、護身の準備ができると思います？

無理、不可能です。これが欠点ですね。

護身のためには、いつも近くにあり、弾丸を入れておいて、何時でも使えるようにしておかなければ、持っている価値がありません。

そうでなければ、デトロイトタイガーズの野球のバットを持って隠れて待っている方がまだましです。

では、ヘイグさん、どうするねん？
彼の推薦方法は：
「指紋認証でロックする、ピストルを入れる小箱」です。

弾丸を入れたピストルを入れておき、日中は一階に、夜寝る時は二階の寝室にもっていきます。

鍵でロックするモデルもありますが、推薦しないとのこと。シャワーなど浴びている時に子供が鍵を盗むかもしれないし、何処に鍵を置いたか探さなければいけない時もあります。

新しいピストルを買うと、友達に見せたり、家のパーティーで皆に、「俺、こんなピストルを持っているんだ」と見せたりで、間違って事故が起きるケースが多いです。

所持者になれば、本当に責任を持って管理しなければなりません。

最近こんなケースが：

ミシガンの両親が告訴されることに。4才の長女がハンドガンを発砲し、自ら負傷するケースが起こりました。

何とその両親は、弾丸を入れたハンドガンを、子供の玩具を入れている押し入れにしまっていたのです。

弾丸を入れたピストル（ローデッドガン）は、確かに一歩間違えば命に関わりますから、もしあなたが弾丸は入れておきたくないと思えば、そのやり方で上手く護身できるプロセスを考えておきましょう。

ヘイグさん曰く、"Loaded, or not loaded, that

is a question.” あなたが決めるのです。

ヘイグさんが緊急通報である家に行った時：
家は荒らされ、女性はすでに自宅で殺されていました。
ヘイグさん曰く、「その女性、ピストルを手に持っていたが弾丸は入っていなかった」と。

どのタイミングで発砲？

この質問を色々な人から何回も何回も聞き、何回も何回も答えたとのことです。

家の中に侵入してくる者に何時発砲すればよいのか？
これは昔からいつも議論されている、グッドクエスチョンです。
先ず、一番大事なのは、誰に向かって撃っているのか？です。
エッ、どういうこと？
知人、配達員などを間違って撃ってしまったホームオーナーが多いのです。

なぜなら、変な音がするので銃を手にして待っている時、あなたの血圧、アドレナリン、恐怖、脈拍が一挙にピークに達しますよね。1秒以内に生死の決断をしなければならない状況が近づいて来ているのですから。

そして、ミステークが起こるのです。

もし、あなたがこのような状況に直面するのが辛い、頭が真白になりそう、そして護身のためとは言え人を撃つのが苦手というのであれば、銃の所持はやめましょう。

何時発砲して良いかは、実は、誰にも言えないのです。

その時、その場での危害状況次第で、全て変わってくるからです。

例えば：

あなたが家族と家にいる時、15才くらいの暴漢が後ろの窓を割って入ってきた。あなたはすぐピストルを取って暴漢を待つ。暴漢はピストルを持ったあなたを見て逃げ出そうとする。その暴漢を撃って即死させる。

あなたや家族の身の安全を危害から守る行動、護身は法律で認められています。

さあ、あなた自身や家族を守るために、見たところ若い学生を撃ったのは合法だったのか？

その学生は銃を持っていなかったことを知らなかったのか？

あなたや家族は恐怖にさらされていたのか？

このケースの場合はどうでしょう。

大きなレスラーのような男が侵入。見たところ銃は持っていない。しかし、あなたを打ち倒し、あなたの奥さんに暴行かレイプしそうな感じ。

さあ、銃を持っていない、まだ何もしていないけど、撃っていいのか？

あなたを襲ってくるまで撃ってはいけないの

か？

レスラーのような体格で怖そうに見えるけど、あなたのピストルを見てびっくりして逃げ出すかもしれない？

本当に、1秒以内にどうするか決めなければなりません。

こいつの目的は何なんだ？

もし、その男があなたたちが家に居るのを知っていながら入ってきたのなら、目的はあなたたちに何らかの危害を及ぼすことと思ってほぼ間違いないでしょう。

でも、あなたのピストルを見たら？

「こんな事件が」とヘイグさん。

デトロイトの郊外で、玄関から変な音がするのでホームオーナーが行ってみると、誰かがドアを叩いている。

変な叫び声を出しながら、ドアを押し開くかのように強く叩く。

そのホームオーナーは、玄関のドアに向かって発砲。ドアの外側にいた19才の女性は即死。

麻薬で酔っていたため交通事故を起こし、助けを求めていたことが後でわかる。

このホームオーナーには第2級殺人（Second Degree Murder）の有罪判決が降りました。

相手が現れる前に（見る前に）、「このような場合にはこうする、しかしこうなればこのように対応する」など、頭の中で色々なシナリオを考えて準備しておきます。そうしておけば、実際に事件に直面して、1秒以内にどうするか決めなければいけない時、あなたはその状況に適した対応を取れることでしょう。

でも、その時その場での危害状況を的確に判断するのは、非常に難しい課題です。

あなたの身の安全を危害から守る行動、護身は、法律で認められてはいるのですが……

どのピストルを買う？

ヘイグさんの推薦は、回転式連発ピストル、リボルバーです。

シンプルで、引き金を引けば必ずと言っていいほど、間違いなく発砲するから。

このタイプは家での護身用にもよいし、外での持ち歩きにも適しています。

サイズ、キャリバー（口径）は？

今ポピュラーなキャリバーは.40口径、または9mm口径です。

.38口径、又は.357口径でも良いです。.40口径に比べて発砲の時のキックが少なく使いやすいです。日本人に良いかもしれません。

いずれにしても、手にした時、グリップがしっくりくる、重さが良い、キックは問題ないなどで、あなたに適したキャリバーを見つけましょう。

キャリバーの大きなハンドガンに弾丸を入れて持っていると、びっくりするくらい重くて疲れます。また、サイズが大きいですから、テーブルやドアの角に当たったりします。服などは、肥えた時のように大きめなサイズを買わなければならなくなったり。

キックが大きくて、持っているあなた自身が撃つ時恐れるような物は勿論ダメですよ。

あなたに適したキャリバーのリボルバーを探しましょう。

外に持って出るには

二つの方法があります。

＊オープンキャリー

＊コンシールドキャリー

オープンキャリーは、警官のように見せて、提げていくやり方です。

コンシールドキャリーは、隠す、すなわち上着の内側などで見えないようにして、提げていくやり方です。

州や郡や都市・町によって、このやり方はダメ、OKなど色々違ってきます。また年々変わっていく場所もあります。

オープンキャリー：

イメージとしてはカウボーイや警官。

見えるホルダーに入れて持つやり方です。

ズボンのベルトに挟むのはやめましょう。なぜなら、ピストルの半分が隠れてしまいますから。

コンシールドキャリー：

大きなキャリバーのハンドガンの場合は２か所、ショルダーとウエストだけになります。小さなハンドガンだと、アンクル（足首）も含めて３か所になります。それぞれのホルダー・ケース（皮袋）を使ってピストルを隠します。

護身が目的ですから、いざという時にすぐピストルをホルダーやケースから出せるよう練習しておきましょう。

ヘイグさん曰く、「ハンドバッグやブリーフケースや車のグローブボックスの中などには入れておかないこと。いざという時すぐ使えないから」

私の友達のおばさんはハンドバッグに入れていました。ドレスなどだと、どうしてもそうなっちゃいますよね。すぐ出せるように心掛けているとのこと。

もちろん、ピストルはすでにローデッド、いつでもいざという時にはすぐ発砲できるようにします（ミシガン州ではローデッドが合法です）。

以前、ヘイグさんの部署に入ってきた女性警官のリボルバーをチェックしたら、弾丸が入っていませんでした。これは部署の方針に反すると言うと、「ローデッドして歩くと事故が起きる可能性があるから」と。「起きる事故はただ一つ、お前が殺されるだけ」とヘイグさん。

もし、あなたもこの女性警官のようにローデッドしたくないのであれば、護身用に持って出る意味がありません。家に置いておき、野球のバットを持って出れば！？

外では、いつ発砲？

ところで、あなたは約50メートル離れた人をピストルで撃てると思いますか？

そりゃ、練習すれば。

「ハリウッドの映画ではないのですよ」とヘイグさん。

いくら練習しても、ほんの10メートル先のターゲットをピストルで撃てる人はマレとのこと。ほとんどの射撃は1～2メートルで行われるとのこと。

さて、駐車場に約2メーター、110キロの男が立っています。あなたが車に乗ろうとしたら、その男があなたの方に向かって歩いてきます。周りには誰もいません。

あなたならどうします？

スゴイ大男、でも銃は持っていない。

車に乗ってここから脱出？

もしかしたら、ただ駐車場を通り抜けてどこかに行くだけ？

そんなことを思っていたら、その男が10メートル先に。そしてあなたに向かって歩いてきます。9メートル、8メートル……

どうする？

ピストルを出して、「ストップ！　フリーズ！」と叫ぶ。しかし、止まらず近づいてきます。

発砲？

銃を持っていない、まだ何も悪いことはしていない、ただスゴイ大男なだけですよ。

1秒以内にどうするか決めないと！

あなたは護身用のピストルを持っているからと、どうしても不注意になり、気を引き締めなくなります。

そして、このような1秒以内にタフな決心をしなければならない状況を作ってしまうのです。

家の中に犯罪者が入ってくるのと違って、外ではあなた自身がこのような状況を作らないようにしなければなりません。

外にいる時は、常に心掛けてください。

ピストルを持っていないけど

何を使えば？

ピストルを持っていなくても、護身用に幾つかの方法があります。

アラーム：

最近の車には、リモートキーにパニックボタンが付いています。

ポケットやバッグから取り出し、車に近づいた時、いつでも使えるようにしましょう。

笛：

首から掛けられる護身用の警笛があります。便利で簡単に使えます。

ペッパースプレー：

ヘイグさん曰く、「これは効果的な時もあれば、完全に逆の時も。気をつけないと、逆に相手を『このヤロー！』と興奮させてしまうかも」

もし、これを使う時は、状況をよく把握し、スプレーの距離、風の方向などチェック。

同じ部署のポリスでも、間違ってしまうケースがあったとのこと。相手に当たらず、仲間のポリスに当たり、一時混乱状態に。

ライト：

護身用にLEDライトがあります。これを相手の目に向けるのですが、ペッパースプレーと同じリスクがあります。

これらの物で、自分に適したのを持っていれば助かります。

ヘイグさん曰く、覚えていますか？

「野獣は一番弱いものを選んで餌にするのだよ。あなたがこのような物を使ったら、別のカモを探すでしょう」

スタンガンについてヘイグさん曰く、
「名前は銃でも、銃砲の一種ではありません。護身用として出していますが、あまり推薦はできません。
警官はテーザー（Taser）という特殊なスタンガンを使いますが、あまり上手くいっていないのです。
スタンガンは、相手が既にあなたに接近し、接触した状態で使うのですよ。その時点で、あなたの命をこのスタンガンが守ってくれるのか？このスタンガンにあなたの命を託すのですよ」
あまり推薦はしないとの事です。

いずれにしても、いつも周りには気を付けて、変な人が急に近寄らないようにしましょう。
歩きながら、スマフォを見たりは絶対にダメですよ。
後ろから急に誰かが近寄ってきても、気が付きません。

運転

信号待ち

信号待ちで護身？　どういう事？

よくあるケース：

信号待ちで停まっている時に、歩道にいる人（達）をジロジロと興味深く見つめていると、突然、車に近寄ってきて、カージャックや強盗に遭います。

これ、デトロイトのような町では意外と多いのだそうです。

最悪の場合は殺される時も。

周りに人がいない時、ウロウロしている人がいると、自然と乗っている人と、「ほら見てあの人」と指さしながら会話が始まってしまうのです。気を付けましょう。

＊歩道者をジロジロと見ない。
＊その人を指さしながら笑わない。
＊あなたは前方をずーっと見ていること。
＊ドアはロックし、窓は閉めておくこと。

車が故障した時

タイヤがパンクしたり、変な音や匂いがエンジンからしたら、何とか、人が比較的多くいる場所や、夜だと明るい所を探して停められるようにしましょう。

そして、あなたの場所を家族や友達に携帯で連絡します。

そして、牽引車、路上修理車などの業者に連絡。

業者がわからなければ911にコンタクトして、ポリスに来てもらいましょう。

出来ることなら、車をロックして救助やポリスが来るまで車内で待ちましょう。

デトロイトなど冬寒い所では、念のために毛布などをトランクに入れておきます。

人が近寄ってきてあなたに迷惑をかけだしたら911にコンタクト。

もし近寄ってきた人が親切そうで、あなたを助けようとした時：

＊ドアを開けない、ロックしたまま。
＊窓ガラスを下げない。
＊笑顔で「ありがとう」と言う。英語が苦手でも“Thank you. I am OK.（大丈夫です）”と言いましょう。
＊携帯で話しているジェスチャーを見せましょう。
＊ポリスが来るまで待ちましょう。

時には、ポリスのような制服を着た人が近寄って来ます。恥ずかしくありません、本当にポリスかIDを見せてもらいましょう。

道に迷った時

最近はGPSやスマートフォンがありますから、迷うことはあまり無いですが、最短ルートとして環境の悪い場所を通過するような案内もありますから注意。遠回りでも環境の悪い場所は避けましょう。

もし道に迷ったら：

＊サイドストリート、裏道に入って運転しないこと。

＊他人の家に行って、行き方を聞かないこと。

＊他人の家のドライブウェイを使って方向転換しないこと。

＊高速道路の出口を間違えた時、すぐその高速道路に入りなおしましょう。目的地がそこから比較的近くても、ローカルの道を使わないこと。

もし、環境の良い、治安の良い場所であれば：

＊明るくて人がいる場所に車を停めて、行き方

を聞いても良いです。
＊サイドストリートを使っても良いです。
＊しかし、他人の家のドライブウェイを使って方向転換しないこと。“不法侵入”のセクション参照してください。

交通事故にあった時

「『追突＆強盗』は昔からあるポピュラー（？）な犯罪だよ」とヘイグさん。

あなたの車に後ろから突然軽く追突。びっくりしたあなたは車を停めてチェック。後ろの車も停まって、運転手が近づいてきます。

謝るのかと思ったら、「あなたのせいで事故が」と。助手席から暴漢が降りて来て、手はポケットに。そのポケットにはピストルのようなものが。あなたの頭はもう真っ白！

あなたや同乗者から現金を奪い逃げます。

このような暴漢達は、普通盗んだ車を使ってやります。あなたのような外国人をターゲットにして、あまり他の車が走っていない場所や時間帯にやります。
「アジア人が運転してる。もしかしたら日本人？　日本人は現金を沢山持っているから、よしやろう」
　彼らにとっては、実際に銃を持っていなくても上手く（？）いく犯罪です。
　捕まっても、「あなたが彼らの車の修理代として渡した」と嘘をつきます。あなたが英会話できなくても「修理代と言ってもらった」と、嘘、嘘。

　皆さん、その場で車を停めずにそのまま運転して、ガソリンスタンドや店など、人がいるところで停めてチェックしましょう。勿論911に連絡してポリスに来てもらい、事故報告をします。

ヘイグさん曰く、こんなケースも：
　ヨーロッパ人が運転中、同じような事故が。その人は停めてはいけないのを知っていたのでそのまま運転。犯罪者は「このヤロー！」とカッとなって、運転しながらピストルを発砲。
幸運にも怪我だけですみました。
時間帯は午前1時だったとのこと。

みなさん、深夜には運転しない計画をたてましょう。

人身事故の場合：
この場合は、窃盗、強盗が目的ではないと思ってよいでしょう。悪人はポリスには会いたくないですから。

普通、このような時は現場から離れてはいけません。
あなたが怪我をしていなくても、ポリスや救急車が来るまでいなければなりません。

しかし、あなたがアジア人で、英語もあまり話せなく、現場がケンカ状態になってきたら、その場から離れましょう。

後でポリスに、なぜ現場から離れなければならなかったかを説明。そうすれば問題ありませんよ。

駐車

野外駐車場

スポーツ観戦やショーなどが馴染みのない場所で行われる時には、空き地の仮駐車場に気を付けましょう。

デトロイトでもよくこの手の詐欺があります。郊外の人はダウンタウンにはあまり馴染みが無く、「空き地が仮駐車場になって2ドルですよ」と呼んでいるので、「安い」と駐車。でも、後で無料の仮駐車場だったとわかったり。

仮駐車場で料金を請求された場合、必ず許可証を胸に付けているか確認をしましょう。

＊フェンスで囲まれた駐車場？

入口より遠い後方には駐車しないこと。

＊防犯カメラは？

照明灯の柱に設置しているのが多いので、カメラがあればそこに駐車。

＊暗くなってから車を取りに行く？
照明灯があるスポットに駐車。

ヘイグさん曰く、「駐車している車に隠れてチャンスを待っている暴漢達を時々見つけた」とのこと。

何時でも、特に夜には、駐車場から出る時は他の車と一緒に出るか、自分の車だけなら、数人で車を取りにいきましょう。

＊スポーツ観戦やショーの後、遅くまで食事をしたりして、自分の車を一人で取りにいかなければならない場合は？

離れた安い駐車場ではなく、人が多く行き来している所に停めましょう。

しかし、周りに人がいるからと安心しないこと。プロは、そういった不注意な人を狙っているのですよ。銃を突き付け、「黙れ！　動くな！」しばらくすると、周りの人は消えてあなた一人になってしまいます。

リモートキーを手に持って、車に近づいてきたらドアをオープンします。ヘッドライトなどもオンに。変な人が近づいてきて「怖い！」と思ったら、パニックボタンを押しましょう。

デッキや地下駐車場

奥の寂しそうなスポットに駐車しなければならない時：

周りの車に注意しましょう。隠れてカモを待っているかもしれません。また車の下もチェック。そこに隠れている時も。

近くに出入り用の階段があっても使用しないこと。犯罪者がカモを待っている時も。メインの階段を使いましょう。

エレベーターが近くにある時、数人で使用するなら良いですが、あなた一人の時はやめます。突然犯罪者が入ってくる時も。

最近こんな事件が：

二人のおばさんが、デトロイトのカジノホテルで強盗に。

駐車場はホテルビルの屋上。ゲームを楽しんだ後、二人は屋上に。そこには銃を持った暴漢が。

ホテルが経営するビル内の駐車場は、照明灯も至る所にあり、安心と思っていたとのこと。

しかし何と、時間は朝の4時！　周りには誰もいません。

深夜を過ぎたら、やはり数人で取りに行くか、この場合ならおばさん達は、警備員に頼んで一緒に行くかですね。

車泥棒

「スタッフがいる有料駐車場でも車を盗まれることがあるのだよ」とヘイグさん。

駐車して車から出たら数人に囲まれる（周りに注意を払っていなかった）。

高級車に乗っているあなたがカモに。

そのうちの一人が、あなたの駐車チケットを取ってあなたの車を運転し、駐車料金を払って駐車場から出る。

彼らの車も出る。

あなたはまだ数人に囲まれているから、誰にも連絡できない。

そして数分後、彼らは逃げる。

あなたが料金所に行って事件の話をしても、スタッフは車や顔など覚えていないのです。

友達の家に行く

不法侵入

普通、一般的には、最初（一回目）は、「ここは俺の敷地内だよ、不法侵入してはダメだよ」と警告を出しますが、デトロイトのような大きな町になると、そんなガイドラインを守る人は少ないです。

他人の敷地内に不法侵入すれば、撃たれるかもしれませんよ。「全米ではそれがあたりまえ」ではありませんが、気を付けた方が良いです。

アメリカの郊外や田舎に行くと、広い敷地内に住んでいる人が多いです。我々日本人は、他人の敷地に入ってもあまり気にしないですから、アメリカに来てもその癖で「近道だからここを抜けていこう」など思わないこと。

敷地が狭い、日本のように庭が狭い市内でも、入ったら危ないですよ。

なぜ、そんなに神経質になるの？

ヘイグさんが自分の家族の話をしてくれました。

「デトロイト市内では多くの人が被害にあっているのだよ。私の家族も例外ではなかった。両親の家は数回泥棒に入られたし、車も盗まれた。私のおばさんは、バーで働いている時に撃たれた。私のお爺さんは、近所で経営していた小さなマーケットに3回も強盗が入り、店をしめることに」

＊こんな経験をしたら、あなたならどうする？
たぶん、銃を買って、あなたや家族を守るでしょう。

＊そして、誰かがあなたの敷地に入ってきたらどうする？
直ちに、考えることなく、銃を手にするでしょう。

そうなんです。多くの人が護身のためにそうするのですよ。郊外の治安のよい所に引っ越しても、ジャストインケースでそのまま持っている人が多いのです。

訪ねる時は、家の"フロントサイド"から入り、玄関のベルを押しましょう。
裏庭から入ったりしないこと。
誰かが裏庭にいる。考えずに直ぐ銃を手に。姿を現した時発砲。
後で、まさか……となってもあなたはあの世。

敷地の境界線には注意を。田舎あたりに行くと、敷地が広く、時には境界線がはっきりとしない所もあります。その時には気をつけてください。友達の敷地ではなかったりしますよ。

友達の家を探したり、場所を探したりする時には、このヘイグさんの家族の話を思い出してください。
ヘイグさん、だから警官になろうと思ったのかも？

もし家が間違っていたら

玄関のドアが開けられて、「アッ、この家ではない」とわかれば：

英語が苦手でも、“ソーリ、ロングハウス(Sorry, wrong house)”とだけ言って、“直ちに180度方向転換”して、背中をドア側にして、その場からすぐに離れましょう。

日本人がハロウィンの時、間違った家で撃たれた話をしたら、ヘイグさん曰く：

その現場にいなかったから、推測だけになるので、将来あなたが招待されたとして話しましょう。

ハロウィンパーティーによばれた。

＊この家、それにしては静かだな。

＊家の前に、車が何台も停まっていない。

（これは良いチェックポイントですね。一握

りの都市以外、車がないと何処にも行けないですから、数台は家の前やドライブウェイに停めてあるのが普通の光景です）

＊パーティーに私だけ招待？

以上の時点で、まずは一般的なアメリカのパーティーではないので、おかしいと思ってください。

今は携帯があるので、その友達か誰かに電話して、住所を聞きなおしましょう。

携帯の連絡や返事がくるまで待って、この時点では、あなたは玄関には行きません。

そうですよね。静かなアメリカのハロウィンパーティーなんて聞いたことないです。

それでも玄関まで行った場合は“180度”を忘れずに。

日常生活

知らない人から電話

デトロイト郊外に住む日本女性のケースを紹介。

銀行員を名乗る人物から電話。

「あなたのプロフィールを更新しているので、お忙しい所よろしくお願いいたします」とのこと。

「あなたの名前、電話番号、住所はこれで良いですか？」

「はい、その通りです」

この時点でもう信じてしまうのです。こんな情報は電話帳にも載っていますけど。

「本人確認のため、誕生日は？」

「○○○○年○○月○○日です」

これを言った時点で、彼女は何だか少しおかしいと思ったそうです。そして、怖くなって電話を切る。

よかったですね。

多分次に、「あなたのソーシャルセキュリティナンバーは？」となるでしょう。
「これを言ってしまえば大問題です」とヘイグさん。

まず、銀行は個人情報の確認などに電話を使いません。
アメリカでは、ソーシャルセキュリティナンバー（XXX - XX - XXXX）で本人確認をする時には、最後の4桁の番号だけ（Last 4 digits）を使うのを忘れないでください。
9桁全ては使いませんし、聞きません（聞けません）。
もし、9桁全てを聞いてきたら、すぐ電話を切ってください。

知らない人が玄関に（詐欺師）

数回担当したデトロイトの詐欺師のやり方：
庭掃除をしているおばさんを見つけて、ドライブウェイ（車庫への通路）にタンクを引っ張ったピックアップトラックが。

　おばさんに、「近くの現場工事で余ったシール用のオイルがあるので、58ドルの安さであなたのドライブウェイをシールしますよ」と。

　関わりたくないし、早くドライブウェイから出てほしいから「OK」と言いました。

　仕事が終わった後、請求金額は最初とは違ってものすごく高く「4千ドル」

　そんなお金はありません。怖くなってきたので「クレカで払う」と言いましたが勿論ダメ。車でおばさんの銀行に連れていかれることに。暴行が無かっただけよかったかも。

次の詐欺師はもっと危険：

　ヘルメットをかぶり、懐中電灯をさげ、手にはワークシートのようなものを持った、作業服を着た男が玄関に。

　電気工事や水道工事の業者を装い、「電圧のサージや水圧の低下などがあり、あなたの装置をチェックしたい」と。

断ると、「スパークや水管割れがおこるかも」と。
しぶしぶOKすると、一人は「地下室へ案内してくれ」と。
地下室でその男が装置を見て回るのを確認。
その間にもう一人の男は、一階（二階）でチェックしているように見せかけ、あなたのものを盗みます。

見知らぬ人が来たら、玄関のフロントドアは閉めたままで話しましょう。

また、この例のような時には、IDカードを見せてもらい、事務所に連絡して確認しましょう。

我々日本人は、ドアを閉めたままで話をするのはマナー違反と思いますが、問題ありませんよ。
多くの家には、フロントドアの外側に、虫除け網のスクリーンやガラスを、季節によって付け変えられるようなドアが設置されています。
このドアがロックされていれば、フロントドアをオープンして話しても良いのです。

もし、話したくなければ、ドアにはいかず、その代わり、テレビとか音楽とか流して家の中には人がいますよと。空き家だと思われたら入られるリスクがあります。

頼んだ修理工などが来た時

まず、ドアを開ける前に修理工の車をチェック。
業者の名前が載っているか？
ユニフォームには業者の名前が？
もし、載っていなかったら、要注意です。
IDを見せてもらいましょう。
そして、その人一人で来ているのか？

その人が確かに頼んだ修理工でも気をつけてください。
あなたは必ず部屋のドア側に。奥だと、もしかして、何が起こるかわかりませんから。

見知らぬ人があなたの庭に

まず、電気、水道、ガスなどの修理工かチェックしましょう。停まっている車やユニフォームに業者の名前が？

どうもそうではなさそうなら、近寄らず、その人の特徴、車のインフォメーションなどを書いておきましょう。

見知らぬ人が銃を持っていそう

ドアや窓には近寄らない事。

すぐ911に連絡。

その人物の特徴や車のインフォメーションがわかれば書いておく。

このような人物は、銃のローディング音をよく知っています。

ですから、それによく似た音が出せる物を持っていればプラスです。

ポリスが来るまでの数分間、これで時間をかせげます。

外出

準備

デトロイトのように、冬、雪が降る地域に住んでいたら、数日から数週間の外出の場合、ドライブウェイ（車庫への通路）の雪かきをどうするか、考えておきましょう。

何もせず、雪が積もっていれば、誰が見ても“空き家です”のサイン。

雪かきをしてもらうか、ドライブウェイに車でタイヤマークをつけてもらうかしましょう。

友達のインド人の話、とヘイグさん。

冬の3か月間、インドに帰国。

デトロイトに帰ってきたら、地下室が水と氷のツララでいっぱい。家のヒーターが壊れ、氷で水管が割れていたのです。

長期間家を空ける時は、10日に一度くらい誰かに家をチェックしてもらいましょう。

ホームアラームシステムがあり、数週間外出するのであれば、アラーム会社にコンタクトし、何時帰ってくるかを言っておきます。

泥棒が入ればもちろん911に連絡してくれますが、シグナルがオフになったりしても、「アレ、居ないはずなのに？」と911に連絡してくれますよ。

外や部屋のライトが、プログラミング通りオン・オフするのかもチェック。

ヘイグさん曰く、「もしあなたのドライブウェイが隣近所に近く、見通しが良いのであれば、あなたの車をロックしてドライブウェイに停めておくのも一案。そして隣近所にはそのことを話しておきましょう」

車にスーツケースや荷物を入れる時、車庫のドアは閉めたままでやりましょう。オープンしてると「これから旅行に行ってきます」と皆に伝えることになります。

新聞、郵便物、留守番電話、鍵

ほんの2、3日なら、近所の人や友達にお願いして新聞やメールボックスをチェックしてもらえますが、数週間となれば、これらをストップしましょう。

それでも、ボックスやドライブウェイを時々チェックしてもらいます。広告、チラシなど、ジャンクメールが貯まっている時も。

郵便局にある黄色いフォームに“何日までストップ”と記入するのですが、最近アメリカに来たアジア人が、そんなサービスがあるのを知らず、急遽3週間帰国するので、隣近所にメールのチェックをお願いしたとのこと。

近所の人も、あせっている様子なので、「郵便局に行って……」とは言わずにOKしました。

後で、わかったのでしょうか？　美味しいお菓子を持ってきたとの事。

家の留守番電話のメッセージにも「何日まで留守です」など入れない事。

それから、「あなたは鍵をフロントマットや花瓶の下に隠すのですか？　泥棒にとっては朝飯前」とのことですよ。

食事処

バー

バーカウンターに座り、好きなお酒を飲みながら近くに座っている人と「ハロー」と会話を始めることは、何も問題ありません。

あなたが男性なら。

しかしあなたが女性なら、「売春婦と思われますよ」とヘイグさん。やめましょう。

私（男性）も最初の頃はビックリしたのですが、アメリカ人は気さくで、「今日は暑かったな」などと話しかけてきます。

「ゴルフのタイガーは今日すごかった」など、飲みながら話に花を咲かせるのは良いものです。

しかし、時には酒の勢いで、世界の問題をその場で解決するような口論がはじまったり、銃規制、人種差別の話題で口論が始まったりします。

その場では何とか収まったように思えても、駐車場に行くと、車から銃を取り出してあなたを待っていたり。

お酒の勢いで……と言っても、もう遅い？

お酒を飲む場所での会話には気を付けてください。

フードコート（罠）

「よくある罠を紹介しましょう」とヘイグさん。特にアジア人に多いとの事。

にぎわっているフードコート。色々な人が入れ替わり、食べたり飲んだりしていますよね。

あなたの近くに座っていたおばさんが、荷物を取らずにその場から離れていきました。

それを見た（見せられた）あなたは、その荷物を取っておばさんの後を。

おばさんに、「ありがとう、サンキュー」と言われて、あなたが良い気分で席に戻ったら、あなたの荷物がなくなっていました。

同じように、おばさんがハンドバッグを取らずにその場から離れる。

それを見ていた（見せられていた）あなたは、ハンドバッグを取っておばさんを追いかける。

おばさんが、「ありがとう、サンキュー」と言ってハンドバッグを開ける。

「アレ、お金が無くなっている！」

あなたは驚いて「エッ？」

すると、怖そうな大男が近づいてきて、「あなたが盗んだのを見た」と。

おばさんは泣き出し、大男はあなたの腕をつかみ「このドロボーめ！」と。

外国人のあなたの頭はもう真っ白に。

ヘルプも何も言えません。

このような状況に出くわしたら、大声で「おばさん、おばさん」と言いましょう。日本語でもよいのですよ。周りの人の注意を引けばよいのです。

　とにかくその場所から離れないように。

ショッピング

ショッピングセンターでの駐車

犯罪者にとって、ここはよい仕事場（？）です。

駐車して買い物に行くと、殆どの人は、しばらく戻ってこないのを知っているからです。

もし、近くにドラッグストアやコンビニなどクイックサービスの店があれば、そこに駐車しましょう。

車内には何も置かないこと。「毛布などもダメだよ」とヘイグさん。

エッ、なんでやねん、毛布も取られるの？

「違うよ、その下に何か貴重品を隠しているサインになるのだよ」

SUVに乗っているなら、バックカバーシートでトランク部分を見せないように。

あなたが駐車して、すぐ近くに駐車する人がいたら、しばらく車内でその人が出るまで待ちましょう。もし車から出てこなければ、別の場所に移ります。

もし、多くの買い物をするのなら、数個買うごとに車に戻ります。両手に沢山持って車に向かっていたらヤバイです。

そしてもう一つ大事なのは、買い物をトランクに入れたら、その場所から離れて別の場所に駐車し、買い物を続けることです。

ですから、最初は右側に駐車、その後左側に駐車など、前もって計画しておきましょう。

クリスマスシーズンの買い物の時には、特に注意してください。

上記の“駐車”セクションも参照してください。

詐欺師

「ショッピングセンターやモールでよくある詐

欺を紹介します」とヘイグさん。

子供が迷子になって、あなたの周りでウロウロしています。

親切なあなたは子供に近寄り、「どうしたの？迷子になったの？」と。

親が子供を探していないかと周りを見たり、迷子のセンターは何処かな？　と調べたりして気をそらしていると、その子供があなたのバッグから何かを盗むのです。

今度はおばさんです。

お店で、弱弱しそうなおばさんがあなたに近寄ってきて、「あそこの少し高い所にある品物を取ってもらえないかしら」と。

親切なあなたは「良いよ」と、バッグを置いて、背伸びして、その品物を取ります。

おばさん曰く、「アノー、それより横のものが良いかも」

「はい、はい、横の品物ね」

その間に、おばさんがあなたのバッグから何か盗んでいます。

詐欺師は5才から90才までいるのですよ。

夜、コンビニなどに行く時

日本と同じで便利ですから、多くの人が夜いきます。そして変な人達も集まります。

殆どのコンビニなどでは100ドル札は受け取らないですから、持っていても（アレ、いまだに持ってるの！？）出さない事。20ドル札でも、多く持っていたらカモになる時も。

夜遅くまで開いていますから、店のオーナー、マネージャーは、護身用ピストルをカウンターに隠してもっているのが殆どです。

あなたが店に入り、変な行動をしたり、お酒の勢いで暴言を吐いたりしたら、ピストルを出してきますよ。

必要なものを買ったらサッと出ましょう。こんな時間帯に、ウインドウショッピングみたいに棚から棚へとウロウロしないこと。

国内旅行

バス、列車のターミナル駅

デトロイトのような都市になると、メインターミナルはダウンタウンになっています。残念ながら周りの環境は良くありません、と言われることが多いです。

ヘイグさんも、よくメインターミナルに行ってパトロールして、乗客の安全を守ってきたとの事。

ここで、私個人の経験談を：

大学生時代、グレイハウンドのバスで、よくデトロイトの知り合いの家族を訪れていました。

ある夕方、デトロイトのメインターミナルで帰りのバスを待っていたら、一人の男が私の右横に座ったのです。大男で何だか怖そうで、私の体に触れてくるので気持ちが悪く、立って別の席に行こうとしたら、彼も立ちました。そうすると、向こう側に座っていた男も立ったのです。

アッ、これヤバイと、「ヘルプ」と叫ぼうとしたら、横の大男がバッジを出し、デトロイト警察とのこと。

数分間の質問に答えると、二人とも何処かに消えていきました。

ヘイグさんにこの話をして、「もしかしてその時のパトロール警官はあなたでは？」ヘイグさんは笑うだけでした。

今振り返って考えると、私の右側に触れていたのは、「このアジア人の若者、もしかして銃を持っているのでは」とチェックしていたのでは？

アメリカは車社会。NYCなど一握りの都市は例外で、車が無いと移動が難しいです。車を運転できないお年寄りや、車を持てない貧乏人や、私のような外国人学生などは、バスや列車を使用することになります。

ですから、エアポートのターミナルとは全く違った雰囲気です。身の回りには気を付けて、バッグが盗まれたり、何か変な物を入れられたりしないように。

バス、列車内では

「あなたの貴重品はハンドバッグに」とヘイグさん。
なぜなら、トイレに行かなければならない時、ハンドバッグを持って行けるから。

服のポケットには貴重品を入れない事。仮眠などしている時に盗まれるかも。

エアポートの手荷物検査

手荷物がコンベアで流れてきますが、混んでいたり、靴を履いていたり、チョット止められてチェックされている時には、気をつけてください。

バッグなどは盗まれませんが、もしキャッシュ、財布、時計、宝石など、ばらしてお皿やトレイにおいていると、盗まれるリスクが。

これらの物はバッグなどに入れておき、ばらして置かない事。

以前、靴に爆発物を入れて、飛行中に火をつけて爆破しようとした人がいました。ですから、靴を脱いでチェックされることになったのですが、「俺の靴はそのブランド品と全く同じだよ」など冗談でも言わない事。

直ちに、別室行きになります。「冗談、冗談」と言っても遅いです。

観光スポット

もし、ポピュラーでない、変わった所に行く時には、気を付けないといけません。時にはあなた一人だったりしますから。そして、そのチャンスを待っている暴漢も。

オーストラリアの写真家がデトロイトに来て、昔のカーメーカーだった“パッカード”の工場に行った時の話です。古びた錆だらけの工場・ビルの写真を撮っていたら、急に銃を持った男が現れ、「カメラや撮影の道具を渡せ」と。写真家の友達がピックアップトラックを運転していて、丁度近くに停めていたので荷台に飛び込み、友達は急発進。

軽い怪我をしただけで、道具も盗まれなかったしで、本当にラッキーでした。

2年前には同じ場所で2人の観光客（？）が殺される事件があったとのこと。

銃の紹介

銃の種類

基本的に３種類あります。

＊ハンドガン、Hand gun

＊ロングガン、Long gun

＊自動式武器、Automatic weapon

ピストル、リボルバーはハンドガンです。

ライフル、ショットガンはロングガンです。

マシンガン、アサルトライフルは自動式武器です。

参考として写真（一例）を最後に載せました。

年齢

連邦法により、ハンドガン（ピストル、リボルバー）は18才以下は所持できませんと決まっていますが、多少の例外もあります。

ハンドガンの購入は、ミシガン州では、政府が認証したディーラー（FFL）からは、21才以上だとできます。

勿論FFLは、ルーティンの手続き、バックグラウンドチェックなどをします。罪をおかして起訴されている状態の者、精神病院に通っている者などに故意に売ることはできません。

政府が認証していないディーラー、個人業者からは、18才以上で、購入ライセンスかコンシールドキャリーの証明証をもっていればできます。

購入・販売した時の登録、記録を関係部署に提出します。

参考としてロングガンに関して：

連邦法では、ロングガンの所持最低年齢は決められていません。

が、DCと約20の州では、14才から21才の間で所持できる最低年齢を決めています。

例えば、モンタナ州は14才、イリノイ州は21才です（.50口径ライフル）。

残りの州では決められていませんので、子供が持っていても違法ではありません。

父親が買って、息子の13才の誕生日にライフルやショットガンをプレゼントすることは、これらの州ではOKなのです。

子供は、使うことができても、勿論店に行って買うことはできません。ミシガン州では18才以上でないと購入できません。

銃の持ち方

護身用のピストルを中心に書いていきます。

“ピストルの所持者に”のセクションにも書きましたが、二つの方法があります。

＊オープンキャリー　Open carry

＊コンシールドキャリー　Concealed carry

オープンキャリーは、普段の日常生活で外に出る時、警官のように見せて持って出るやり方です。

コンシールドキャリーは、上着の内側などに隠して持ち出すやり方です。

オープンキャリー：
ヘイグさんから聞いてびっくりしたのですが、オープンキャリーは約30の州では許可無しでできるのです。
もちろん郡、市など個別に例外はありますが。
許可証無しでできる所でも、ローデッドされたピストルはダメなところもあります。

フロリダ州、ニューヨーク州、イリノイ州、DCなどでは、オープンキャリーは（一般的に）できないことになっています。

テキサス州、ジョージア州などでは、許可証を貰えばOKです。

デトロイトがあるミシガン州は、許可証が無くても18才以上だとOK。しかし、自分のピストルではなく他人のピストルをもって出ることはできません（コンシールドキャリーの許可証を持っていればできますが）。

2016年の共和党大統領候補選出大会がおこなわれたオハイオ州でも同じ。

ポリスや警備員達は、悪人を見分けるのに苦労したのでは？

ヘイグさん曰く、「オープンキャリーが許されていても、多くの人はしない」との事。

エッ、なんでやねん？

なぜなら、オープンキャリーで店に入って行ったら、店員やお客さん達がビックリするからです。そして、誰かが911に連絡するでしょう。

アメリカは銃社会で、皆銃には日常生活で見慣れていると思うでしょう？

そう思っている日本人は多いと思います。

そうではないのです。

最近、デトロイトのダウンタウンでナチスの行列があったとのこと。数人がオープンキャリーで歩いていたそうです。行列そのものがなんだか変な雰囲気なのに、プラスしてオープンキャリー！　何も事故は起こらなかったけど、周りの人達みんなピリピリ（？）していたとか。

ヘイグさんも、オープンキャリーの通報で現場に駆けつけたことが度々。でも何もできませんと。悪いことはしていないのですから。

しかし、その人が車に乗った時には、「コンシールドキャリーの許可証を見せてください」と言えるのです。そして、もしその許可証を持っていなかったら、逮捕できるのです。

コンシールドキャリーは許可制で、上着の内側に隠すのと同じように、ミシガン州では車内に隠すのにもこの許可証が必要です。ただし、車内ではなく、車のトランクにアンローデッド、すなわち弾丸を抜いて入れることは、許可証が

無くても違法ではありません。SUVのように
トランクと車内が一体になっている車種では、
アンローデッドして箱に入れロックしていれば、
許可証が無くても違法ではありません。

ややこしい！

また、オープンキャリーで入ってはいけない
場所もあります。例えば、学校、病院、教会な
ど。入口にサインが貼ってあります。
そう言われたら、ミシガン州には長く住んで
いますが、オープンキャリーの人は見たことな
いですね。

コンシールドキャリーの許可制については、
次のセクションに載せました。

CCW/CPL

CCWとは“キャリング　ア　コンシール
ド　ウエポン”、CPLとは“コンシールド　ピ

ストル　ライセンス”です。

このライセンスに関しての連邦法はありません。

許可制で基本的に4つのカテゴリーがあり、全ての州で色々な規定を設けています。

＊制限無し、Unrestricted.

＊発行無し、No-Issue.

＊厳しいチェックで発行、May-Issue.

＊ルーティンチェックで発行、Shall-Issue.

制限無し：

コンシールドキャリーに許可証はいりません。アラスカ州、アリゾナ州、ワイオミング州などは、許可証無しでピストルをコンシールドキャリーしてOKです。

発行無し：

これは、ピストルのコンシールドキャリーが許されないということです。

しかし、現時点では州単位（DC込み）でこれに該当するところはありません。

厳しいチェックで発行：

色々な厳しい基準、条件、面接などをクリアするか、ピストルが必要な“正当理由”が認められれば、コンシールドキャリー許可証を貰えます。

ハワイ州、カリフォルニア州、ニューヨーク州などはこれです。

ルーティンチェックで発行：

決められた規定をクリアすれば、ピストルのコンシールドキャリー許可証を貰えます。

一般的な規定は、年齢、住民証明書、指紋、バックグラウンド、ピストルのセーフティークラス出席などを提出、チェックされ、OKであれば貰えます。州によって、これよりも多くの規定項目があったり、少なかったり、マチマチです。

ミシガン州を含め多くの州がこの形です。ミシガン州では21才以上であれば申請できます。

ここで、注意しなければならないのは、州内でも、郡や都市によって違うやり方を実施しますし、州も時々変更することがあります。
例えば、上記のMay-Issueのハワイ州、カリフォルニア州、ニューヨーク州でも、実際にはNo-Issue（発行無し）の郡や都市があります（ハワイ州では全地域）。
お住まいの都市、町の最新のインフォメーションをチェックしましょう。

.357 リボルバー

9mm ピストル

ショットガン

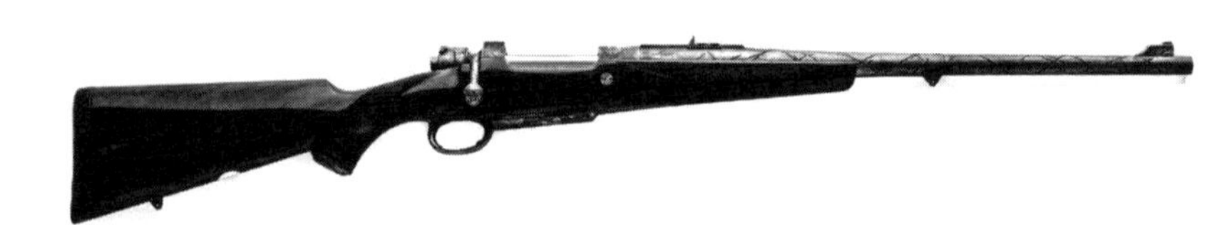

ライフル

AK-47 アサルトライフル

マシンガン

コピーライト

アメリカの銃社会で生活？
デトロイト警官が安全なアメリカ生活の過ごし方と護身用ピストルの使い方をお教えします

2020年2月16日　初版第1刷発行

著　者　マイク前川
発行所　ブイツーソリューション
〒466-0848 名古屋市昭和区長戸町4-40
TEL：052-799-7391 / FAX：052-799-7984
発売元　星雲社（共同出版社・流通責任出版社）
〒112-0005 東京都文京区水道1-3-30
TEL：03-3868-3275 / FAX：03-3868-6588
印刷所　モリモト印刷

万一、落丁乱丁のある場合は送料当社負担でお取替えいたします。
ブイツーソリューション宛にお送りください。

ISBN 978-4-434-27107-6